MULTIPLICATION
WIPE-OFF FUN

Watermill Press

Printed in the United States of America.

10 9 8

HOW TO USE

MULTIPLICATION FUN

Say each number fact aloud. After you have memorized each set of facts, place the wipe-off fold from the back cover over the answers. Then use a grease pencil to write the answers in the boxes provided.

When you are all done, lift the fold to check your answers. Then use a dry or wet tissue or paper towel to wipe off the answers. You can use each page again and again for learning-time fun!

One

1

1 x 5 = 5

1 x 10 = 10

1 x 2 = 2

1 x 7 = 7

1 x 1 = 1

1 x 4 = 4

1 x 11 = 11

1 x 9 = 9

1 x 8 = 8

1 x 6 = 6

1 x 12 = 12

1 x 3 = 3

What kind of pliers do you use in arithmetic?

Multipliers!

Two

2

2 x 4 = 8

2 x 12 = 24

2 x 9 = 18

2 x 7 = 14

2 x 6 = 12

2 x 2 = 4

2 x 11 = 22

2 x 8 = 16

2 x 10 = 20

2 x 1 = 2

2 x 3 = 6

2 x 5 = 10

How many worms make a foot?

12 inchworms.

Three

3

3 x 11 = 33

3 x 10 = 30

3 x 4 = 12

3 x 6 = 18

3 x 1 = 3

3 x 9 = 27

3 x 7 = 21

3 x 3 = 9

3 x 8 = 24

3 x 12 = 36

3 x 5 = 15

3 x 2 = 6

What is the difference between twice 22 and twice 2 and 20?

One is 44, the other is 24.

Four

4

4 x 6 = 24

4 x 1 = 4

4 x 12 = 48

4 x 9 = 36

4 x 3 = 12

4 x 8 = 32

4 x 7 = 28

4 x 5 = 20

4 x 2 = 8

4 x 4 = 16

4 x 10 = 40

4 x 11 = 44

What did one adding machine tell another?

See you later, calculator!

Five

5

5 x 6 = 30

5 x 1 = 5

5 x 12 = 60

5 x 8 = 40

5 x 10 = 50

5 x 5 = 25

5 x 3 = 15

5 x 9 = 45

5 x 4 = 20

5 x 11 = 55

5 x 2 = 10

5 x 7 = 35

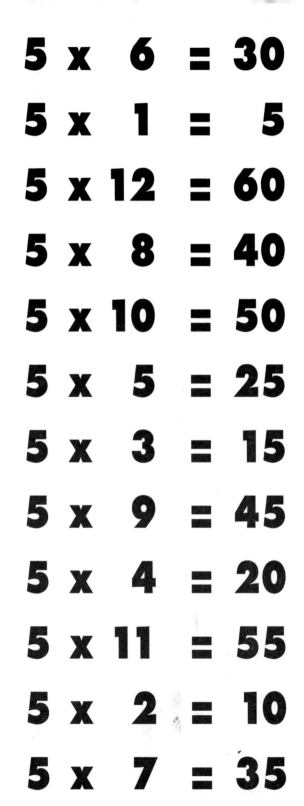

What has 8 corners but only 6 sides?

A cube.

Six

6

6 x 11 = 66

6 x 7 = 42

6 x 5 = 30

6 x 3 = 18

6 x 9 = 54

6 x 4 = 24

6 x 2 = 12

6 x 6 = 36

6 x 12 = 72

6 x 10 = 60

6 x 1 = 6

6 x 8 = 48

What kind of table has no legs?

A multiplication table!

Seven

7

7 x 1 = 7

7 x 9 = 63

7 x 5 = 35

7 x 12 = 84

7 x 4 = 28

7 x 7 = 49

7 x 2 = 14

7 x 8 = 56

7 x 6 = 42

7 x 10 = 70

7 x 3 = 21

7 x 11 = 77

What increases in value by turning it upside down?

The number 6.

Eight

8

8	x	2	=	16
8	x	9	=	72
8	x	8	=	64
8	x	1	=	8
8	x	11	=	88
8	x	12	=	96
8	x	4	=	32
8	x	3	=	24
8	x	10	=	80
8	x	5	=	40
8	x	7	=	56
8	x	6	=	48

What kind of feet does a mathematics teacher have?

Square feet!

Nine

9

9 x 10 = 90

9 x 3 = 27

9 x 12 = 108

9 x 6 = 54

9 x 5 = 45

9 x 1 = 9

9 x 7 = 63

9 x 4 = 36

9 x 9 = 81

9 x 11 = 99

9 x 2 = 18

9 x 8 = 72

What is an octopus?

An 8-sided cat!

Ten

10

10 x 7 = 70

10 x 5 = 50

10 x 2 = 20

10 x 10 = 100

10 x 8 = 80

10 x 11 = 110

10 x 1 = 10

10 x 3 = 30

10 x 6 = 60

10 x 12 = 120

10 x 4 = 40

10 x 9 = 90

What has 18 legs and catches flies?

A baseball team!

Eleven

11

11 x 6 = 66

11 x 1 = 11

11 x 12 = 132

11 x 8 = 88

11 x 10 = 110

11 x 5 = 55

11 x 3 = 33

11 x 9 = 99

11 x 4 = 44

11 x 11 = 121

11 x 2 = 22

11 x 7 = 77

If 8 eggs cost 26 cents, how many eggs can you buy for a penny and a quarter?

8 eggs.